FOLIO CADET

LES CHEVALIERS EN HERBE :

1. Le bouffon de chiffon

2. Le monstre aux yeux d'or

3. Le chevalier fantôme

Maquette : David Alazraki

ISBN : 2-07-054974-7

N° d' édition : 137618
Loi n° 49-956 du 16 juillet 1949
sur les publications destinées à la jeunesse
Premier dépôt légal : mars 2002
Dépôt légal : avril 2005
Imprimé en Espagne par Novoprint (Barcelone)

Arthur Ténor

LES CHEVALIERS EN HERBE

Le bouffon de chiffon

illustré par Denise et Claude Millet

GALLIMARD JEUNESSE

Pour Nathalie, ma princesse de cœur et de jeux.

■ CHAPITRE 1 ■■■

L'idée d'Yvain

Des cris résonnent dans la sombre forêt qui s'étend non loin de la forteresse du seigneur de Montcorbier. Une fillette apparaît brusquement sur un gros rocher moussu. La voici maintenant qui saute sur un tronc abattu.

– Au secours, à moi ! Chevalier Flamboyant ! s'écrie-t-elle en mettant ses mains en porte-voix.

Elle essaie d'apercevoir son sauveur entre les arbres ou parmi les fougères. Mais celui-ci semble s'être précipité dans la mauvaise direction. Mécontente, elle croise les bras, quand surgit dans son dos un garçon d'une dizaine d'années.

Il la saisit brutalement par un bras pour l'obliger à descendre de son perchoir. Ses cheveux sont très bruns, bouclés, ébouriffés…

– Silence, princesse ! Ou vous ne reverrez jamais votre père ! menace-t-il.

– Hiii ! Non ! Pas ça !

Il lui plaque une main sur la bouche.

– Mmm ! Doucement, maladroit ! peste la fillette en se dégageant.

– Heu… pardon. Je…, bredouille le garçon, confus.

Il reprend contenance et affirme avec force :

– Je suis un seigneur félon, pas une limace !

D'un geste vif, il rejette en arrière la mèche en tire-bouchon qui lui tombe sans arrêt sur l'œil.

– Et mon chevalier, où est-il ? s'interroge la princesse.

– Ici, damoiselle Aliénor ! s'écrie une voix résonnant comme dans un tonneau.

Apparaît alors un garçon armé d'une épée de bois et coiffé d'un heaume trop grand. Il engage aussitôt le combat avec le seigneur félon.

La princesse se place à l'écart pour admirer son champion. Mais le pauvre, gêné par son casque qui bringuebale comme une cloche, prend coup sur coup.

– Il serait temps de mourir, chevalier ! lance le félon, agacé d'infliger des blessures mortelles sans effet.

– Aïe ! Brute ! Tu m'as fait mal ! s'écrie le chevalier.

Il se débarrasse avec rage de ce maudit casque, libérant une chevelure mi-longue rousse et ondulée.

– Et maintenant, meurs ! ordonne le félon en pointant l'index vers le sol.

– Sûrement pas ! Il ferait beau voir que tu l'emportes à cause d'une défaillance de mon heaume.

– Défaillance ou pas, je t'ai tué au moins dix fois !

– Fichtre, c'est de la triche ! proteste le chevalier.

– Évidemment, je suis le seigneur félon !

– Voilà qui rime avec marron ! Je t'en envoie cinq dans la figure si tu insistes ! dit le chevalier en brandissant un poing menaçant.

– Le marron est frère de la châtaigne !

réplique le félon. Je t'en ferai avaler autant par le nez…

Vexé, le chevalier se jette sur son ennemi et l'oblige à rouler à terre avec lui. La princesse, poings sur les hanches, les yeux au ciel, soupire d'agacement.

– Il suffit, messires ! Je ne joue plus. Allez, on rentre.

Les adversaires s'immobilisent.

– Voyons, Aliénor, attends au moins que j'en aie terminé avec ce traître, dit le chevalier Flamboyant.

– C'est vrai ça, on vient à peine d'engager le combat, approuve le seigneur félon.

– Comme vous voudrez. Moi, je m'en vais.

Les garçons, toujours enlacés sur les feuilles mortes, se regardent. Ils sont bien obligés d'obéir. Le chevalier Flamboyant, Yvain de Lavandor de son vrai nom, est le page du seigneur de Montcorbier, le père d'Aliénor. Le seigneur félon s'appelle Jean de Jansac. Lui aussi est page, au service d'un des chevaliers du seigneur. Le premier est un intrépide qui ne rêve que d'aventures chevaleresques. Le second est d'une vaillance beaucoup plus calme et réfléchie. En quelques enjambées, ils rattrapent Aliénor.

– Je suis fort mécontent, dit Yvain. J'ai pour habitude de mener mes batailles jusqu'au bout.

– Moi, de même, approuve Jean en soufflant sur sa mèche brune qui retombe aussitôt.

– Justement, ça n'en finit plus ! proteste Aliénor. Ne pourrions-nous changer de jeu ? J'en ai assez de jouer la princesse enlevée par une brute, puis délivrée par un preux chevalier. Cela ne m'amuse plus, ou alors la prochaine fois ce sera moi le chevalier Flamboyant… et l'un de vous la princesse, ajoute-t-elle avec un sourire espiègle.

Les garçons pouffent de rire en imaginant la scène.

– La fois précédente, où j'étais le preux chevalier, cela s'est mieux terminé, fait remarquer Jean.

– Parle pour toi, maraud, j'ai encore la trace du bleu que tu m'as fait à la cuisse, dit Yvain.

Ils marchent un moment sans parler, puis Yvain se lance :

– J'aurais bien une idée…

– Nous t'écoutons, dit Aliénor.

– Le souterrain qu'ont découvert l'autre jour les maçons sous la chapelle.

– Ah, non ! Tu sais bien que ce passage nous est strictement interdit ! objecte Jean.

– J'ajoute que mon père a eu l'air fort inquiet qu'on mette ce trou au jour.

– Pourquoi donc ? demande Yvain.

– Une histoire qu'on raconte...

– Une légende ?

– Pas du tout ! Une vilaine affaire de magie noire du temps de mon grand-père, Gonthier de Montcorbier, révèle Aliénor.

– Oh, oh ! Voilà qui chatouille rudement ma curiosité. J'irais bien y jeter un œil, moi, dans ce souterrain défendu, fait Yvain qui rêve déjà d'affronter des spectres et de trouver un trésor.

Devant l'hésitation de ses amis, il insiste :

– Alors, princesse, ne souhaitiez-vous pas de l'émotion et du danger ? Et toi, sire Jean, t'es-tu si bien reconnu dans le lâche seigneur que tu prendrais ses travers ?

– Je prends les travers qui me plaisent, sire Yvain ! réplique Jean. Et celui qu'il me plairait pour l'heure d'adopter… eh bien… Il faudra se montrer prudent car ce peut être dangereux.

– J'espère ! Et puis, un petit souterrain avant le déjeuner pourrait nous mettre en appétit, conclut Yvain en se passant une main sur l'estomac.

C'est le signal de l'assaut :

– Sus au souterrain ! hurle-t-il.

■■■ CHAPITRE 2 ■

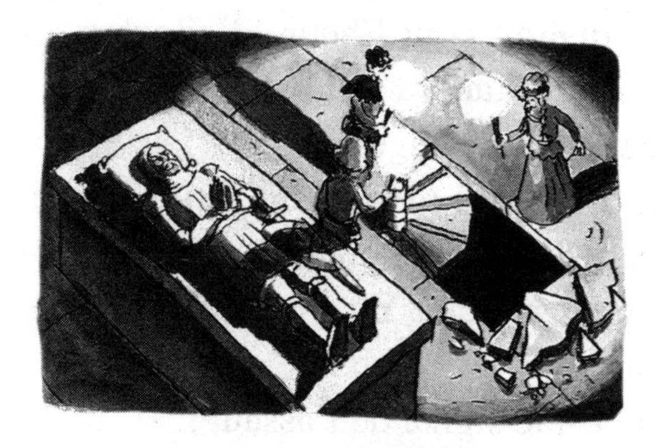

Le souterrain interdit

Sous la chapelle du château se trouve une vaste salle voûtée, dernière demeure depuis dix générations des seigneurs de Montcorbier et de leur famille. Certains défunts bénéficient d'un superbe gisant. Il s'agit d'une sculpture qui les représente allongés sur leur tombeau. En voulant consolider le plafond de pierre avec des poutres, les maçons ont brisé une des dalles funéraires du sol. À leur grande surprise, ils n'ont pas éventré un tombeau, mais ont mis au jour un escalier plongeant dans les ténèbres.

Trois petites silhouettes, chacune un flambeau au poing, se faufilent dos courbé entre les gisants.

– C'est par ici, me semble-t-il, chuchote Yvain.

– Il ne faudra pas s'attarder, car les gardes vont sûrement revenir, murmure la fillette.

– Cet endroit est sinistre... Il ne faudrait pas déranger les morts, fait Jean.

Ils s'arrêtent devant l'ouverture rectangulaire dans laquelle descend le mystérieux escalier.

– Sait-on où cela mène ? demande Jean.

– Père ayant défendu qu'on y descende sans son autorisation, je crois que non.

– Il n'a pas eu envie de savoir ? s'étonne Yvain.

– J'en doute, car j'ai vu l'inquiétude marquer son visage lorsqu'on lui a appris la nouvelle.

– Je n'y tiens plus, allons-y ! s'impatiente le garçon.

– Pas trop loin et revenons, recommande Aliénor.

– Attendez. Est-ce bien le moment de…

Le prudent Jean s'interrompt ; ses amis commencent déjà la descente de l'angoisse. Il est bien obligé de les suivre. À mesure qu'ils s'enfoncent, l'air fraîchit tandis que l'obscurité se fait plus épaisse.

L'escalier en colimaçon se prolonge par un étroit souterrain. Ils le suivent sur une trentaine de pas, quand Yvain qui ouvre la marche s'immobilise.

– Que se passe-t-il ? s'inquiète Aliénor.

– Un squelette, répond Yvain.

– Oh ! couché ou debout ? demande Jean en se souvenant d'une enluminure dans un livre qui représentait la Mort sous cette hideuse apparence.

– Assis, répond Yvain. Je dirais qu'il s'agit des restes d'un guerrier.

Sa torche éclaire un cadavre desséché, dos au mur. Le chevalier, casqué, porte une cotte de mailles et serre encore son épée entre ses doigts noirâtres.

– Brrr ! Je n'aimerais pas finir ainsi dans un trou de taupe, dit Jean.

– Je serais curieuse de savoir de quoi ce brave est mort, murmure Aliénor.

– Avançons, nous l'apprendrons peut-être plus loin, dit Yvain.

Ils poursuivent leur exploration. Dans la fraîcheur du tunnel, Jean se frictionne les bras, Aliénor frissonne fréquemment, tandis qu'Yvain ouvre la marche avec sérieux.

– Nous y sommes, dit-il.

– Où donc ? demande Aliénor.

– Au bout du souterrain. C'est muré.

– Muré ! Laisse-moi voir, dit Jean.

Il passe devant Aliénor. À l'aide de sa torche, il examine un mur de pierres mal ajustées. Après un silence, il donne sa conclusion :

– Ce souterrain fut bouché à la hâte ou par de bien négligents maçons.

– Voilà une aventure qui tourne court, fait Yvain déçu.

– Tant mieux, je commençais à trouver cet endroit lugubre, dit Aliénor.

– Hum... dommage, marmonne Jean, finalement curieux de découvrir des secrets interdits.

Il en oublie ses réticences. Ses deux

amis s'apprêtent à faire demi-tour quand soudain il s'exclame :

– Attendez ! Regardez !

Au bas de la paroi, il éclaire un bloc de pierre qui semble avoir été descellé puis remis en place.

Aliénor et Yvain échangent un regard. Jean s'arc-boute pour pousser la pierre.

– Aidez-moi ! Ho ! Hisse !

– Messire se prend pour Hercule, ironise Yvain.

Il s'agenouille quand même pour lui prêter main-forte. Le bloc s'enfonce, bascule de l'autre côté, ouvrant un passage juste assez large pour un enfant.

– Tudieu ! Ce simplet avait raison ! s'exclame Yvain.

– Dis donc, c'est moi que tu traites de simplet ?

– Tu t'es reconnu ? fait Yvain en riant. Allez, à toi l'honneur, messire Jean.

Le visage de Jean se renfrogne. À nouveau il hésite. Yvain soupire, puis se faufile par le trou. De l'autre côté, il découvre un spectacle insolite.

– Hâtez-vous, l'endroit est des plus surprenants !

Effectivement, comment s'attendre à trouver cinquante pieds sous terre… une forge ! À moins qu'il ne s'agisse de l'antre d'un alchimiste… ou d'un sorcier ! Chacun des enfants y songe, mais par superstition préfère se taire. Ils déambulent dans la vaste salle qui paraît avoir été abandonnée précipitamment ; les creusets et les tubes de verre aux formes étranges semblent encore prêts à servir. Jean examine le foyer. Le conduit de cheminée fonctionnerait-il encore ? Mais où donc peut-il bien déboucher ? Yvain découvre avec bonheur deux épées aux poignées magnifiques. Elles sont rangées, pointe en bas, sur un socle de bois.

– Des lames de grands seigneurs, fait-il en soulevant l'une d'elles.

– Peut-être même de rois, dit Aliénor en examinant la poignée de l'autre.

– Oh ! Venez voir ce que j'ai trouvé ! s'écrie Jean.

▪ CHAPITRE 3 ▪▪▪

L'antre mystérieux

Ils le retrouvent dans une salle voûtée, aménagée en bibliothèque. D'antiques volumes s'alignent dans des niches de pierre. Des rouleaux de parchemin poussiéreux traînent un peu partout. Un immense bureau occupe le fond de la caverne. Aliénor s'en approche, le contourne…

– Hiii !

– Quoi ? Qu'y a-t-il ? s'exclame Jean tandis qu'Yvain rejoint en hâte la fillette.

– Rien, juste un cadavre, sans doute celui du maître des lieux, répond-elle.

Si l'on en croit la position du corps, l'homme est mort brutalement, une main serrée sur le cœur. Il était vêtu d'une grande robe bordée d'hermine et d'un bonnet de cuir. Ce n'était donc pas un forgeron.

Jean scrute les profondeurs de la salle et formule une hypothèse à voix haute :

– Cela sent fort l'alchimiste clandestin, ou bien… (Des picotements lui parcourent le cuir chevelu.) sorcier et maléfices, lâche-t-il d'une voix blanche.

– Alors je commence à comprendre pourquoi père ne tient pas à ce qu'on vienne ici. Il craint sans doute de réveiller quelque vilain souvenir.

– Pour sûr, un drame terrible s'est joué en ces lieux, dit Yvain.

Puis s'adressant à Aliénor :

– N'as-tu jamais entendu de vieilles histoires concernant tes ancêtres ?

– Mon grand-père, Gonthier de Montcorbier, était passionné d'astrologie et de magie. On n'a jamais prononcé son nom dans la famille sans craindre de réveiller le diable !

– Comment est-il mort ? demande Jean.

– L'épée à la main, mais je ne saurais te dire en quelles circonstances.

Sur une étagère, derrière le cadavre momifié, Jean fait à son tour une découverte.

– Oh, le joli coffret ! Ces pierreries doivent valoir une fortune.

Il soulève sa trouvaille ornée comme un livre précieux.

– Pose-le sur le bureau, dit Yvain en poussant une pile d'ouvrages.

– Il est verrouillé, constate Jean, déçu.

– Cela nous obligera à l'emporter pour le forcer, dit Yvain.

– Ah non ! réagit Aliénor. Nous n'emportons rien ! Sait-on quels sortilèges hantent encore ces lieux ? Laissons chaque chose à sa place et tout ira bien.

– Je suis de cet avis, quittons cet antre avant qu'il ne nous happe dans ses sanglants souvenirs, approuve Jean.

Yvain affiche un air déçu. Son compagnon lui adresse un clin d'œil, il retrouve aussitôt le sourire.

– Nous en avons assez vu. Partons, reprend la fillette en enjambant le cadavre pour s'en aller.

– Bien, je vous suis, dit Yvain en faisant semblant de replacer le coffret sur l'étagère.

– Alors, tu viens ? l'appelle Jean depuis la forge.

La cause étant entendue, les enfants regagnent l'accès du souterrain. Ils refont surface dans la chapelle, quand des bruits de voix les alertent. Ils éteignent leurs torches et se dissimulent derrière la statue de saint Benoît. Deux gardes pénètrent dans la petite église. Tout en discutant, ils se dirigent vers l'escalier menant à la salle secrète.

– Surveiller un trou à rat, voilà une noble mission ! Peuh ! maugrée l'un.

– Le maître craint sans doute qu'un mort ne s'échappe, plaisante le second.

– Holà ! Silence, Lapouge ! Tu sais bien que j'ai peur des fantômes !

Tandis qu'ils disparaissent dans l'escalier en colimaçon, les enfants quittent leur cachette.

– Vite, filons, murmure Jean.

– Yvain, que vois-je ? s'exclame Aliénor.

– Hein ? Oh, rien damoiselle, un coffret..., répond le page.

– Nous avions juré de ne rien emporter de ce lieu maudit !

– Je ne me souviens pas d'avoir juré. Et toi, Jean ?

– En pensée peut-être, répond son ami qui tout compte fait se laisserait bien tenter par une petite ouverture de coffre mystérieux.

– Cela se paiera en son temps, dit Aliénor furieuse en sortant de la chapelle.

– Ne viens-tu pas dans ma chambre voir ce que contient le coffret ? demande Yvain.

– Sûrement pas ! Vauriens, je ne vous connais plus !

■ CHAPITRE 4 ■■■

Le bouffon de chiffon

Penchés sur le mystérieux coffret, les trois amis se demandent comment l'ouvrir sans casser la serrure. Dans la chambrette d'Yvain, ils sont assis en tailleur sur le lit. Aliénor s'est finalement jointe aux garçons pour cette délicate opération : « Non pas par curiosité, mais pour vous empêcher de commettre une bêtise », a-t-elle expliqué.

À court d'idées, ils décident d'employer la manière forte.

– Je vais aller emprunter un marteau à notre forgeron, annonce Yvain.

À ces mots, le coffret émet un claquement sec. Les enfants ont un réflexe de peur.

– Gare que cela ne nous saute au nez ! prévient Jean.

– Que vous disais-je ! L'objet est ensorcelé ! s'exclame Aliénor en tendant un doigt accusateur vers la mystérieuse boîte.

– Non, c'est sûrement parce que nous l'avons secouée et tournée dans tous les sens, tente de se rassurer Yvain.

Il approche une main mal assurée du coffret, soulève le couvercle d'un coup sec et recule.

Aucun monstre ne surgit. Aucune fumée verte, ni flamme noire ne s'échappe. C'est plutôt bon signe. Les enfants s'avancent...

– Oh ! Une poupée ! s'étonne Jean.

– De fort belle facture, remarque Aliénor.

– Je n'ai jamais vu un bouffon de chiffon aussi joli, confirme Yvain, admiratif.

La poupée représente ce joyeux farceur, qu'on appelle parfois un fou, chargé de faire rire le seigneur. Elle repose dans un écrin de tissu pourpre. Sa tête de bois peint, finement sculpté, sourit gracieusement. Ses vêtements, à larges bandes rouges et jaunes, sont en riche étoffe de soie. Sa coiffe à grelots est tout aussi réussie, ainsi que son bâton de bouffon surmonté d'une réplique parfaite de sa tête en réduction.

Yvain ne peut résister à l'envie de la prendre. Il le fait avec délicatesse, comme s'il sortait un bébé du berceau.

– Que fais-tu malheureux ? souffle Aliénor.

– Tu le vois bien, nigaude, je ramasse les fraises ! réplique-t-il.

La fillette hausse les épaules.

– Regardez ! Il y a un parchemin sous le jouet, s'exclame Jean.

Il s'empare de la feuille, dont le cachet de cire a déjà été brisé. Il le déroule, révélant un texte latin écrit à l'encre d'or. Des plaques de moisissure le rendent en grande partie illisible.

– Aliénor, c'est à toi de jouer, dit Jean en regardant la fillette.

Elle est en effet beaucoup plus douée pour traduire le latin que ses camarades. Elle fait pourtant semblant de ne pas comprendre la demande du garçon.

– Je n'ai aucune envie de jouer à la poupée ! dit-elle. Remettons cette chose dans sa boîte, puis allons jeter le tout à la rivière.

Le visage de la poupée se rembrunit subitement. Mais les enfants, trop occupés à se chamailler, ne s'en aperçoivent pas.

– Qui te demande de jouer ? dit Yvain. Traduis ces lignes au mieux et laisse ensuite les hommes agir.

Aliénor rechigne, puis sourit :

– Soit, les hommes. Après tout ce n'est qu'un jeu, n'est-ce pas ?

La poupée retrouve aussitôt le sourire.

La fillette saisit le parchemin que lui tend Jean et se concentre sur le texte. Elle prend sa respiration, puis commence :

– Il est dit que le bouffon se nomme Armando Pantalone. Il nous viendrait d'une lointaine province italienne et disposerait de nombreux dons, dont celui d'amuser le monde, bien entendu.

Les garçons échangent un regard. L'excitation les gagne.

– Je crois qu'il a appartenu à un roi, un enfant-roi qui souffrait de maladie de tristesse, poursuit Aliénor. C'était le cadeau d'un enchanteur…

– Oh ! Oh ! lâche Yvain en se frottant les mains.

Aliénor se tait.

– Et la suite ? s'impatiente le page.

– Eh bien… la moisissure l'a mangée. Cela parle de drame, de mort…

Elle regarde ses amis, sourcils froncés, inquiète.

– C'est grave ? demande Jean comme s'il était malade.

– Je ne sais pas… Là, il est écrit en italien : *terribile esecrazione*. Je crois que cela veut dire que ce bouffon est maudit.

– Ce n'est pas prouvé ! Que lis-tu encore ? demande Yvain.

– Rien, répond simplement Aliénor en repliant le parchemin.

– Il y a encore une ligne, au bas de la page, je l'ai vue ! s'exclame Jean.

– C'est une formule, sans doute maléfique, lâche Aliénor. C'est pourquoi je ne la traduirai pas.

La poupée, adossée au gros oreiller du lit, fronce les sourcils.

– Voyons, Aliénor, la traduire n'est pas la prononcer, objecte Yvain. Dis-la-moi à l'oreille. (La poupée sourit.)

– Sûrement pas ! (La poupée fronce les sourcils.)

– Tu n'as pas le droit de t'arrêter là ! proteste avec fougue le garçon. C'est contraire au droit de savoir de tout chevalier qui a dix fois sauvé sa princesse. Dois-je te rappeler que nous nous sommes juré vérité, loyauté et fidélité ?

– Et protection mutuelle ! enchaîne

Aliénor. Or voici justement une occasion pour moi de nous éviter de cuisants regrets.

– Mais c'est nous les protecteurs ! s'exclame Yvain. Toi, tu n'es que la princesse.

– Oh ! Et qui donc vous a fait sortir du puits où vous êtes tombés l'autre jour, en inconscients que vous êtes ?

– Ce n'est pas là la question ! renvoie Yvain. Nous...

Jean le tire par un bras pour lui chuchoter quelques mots à l'oreille. Yvain acquiesce d'un signe de tête. Aliénor leur jette un regard furibond :

– Comploteurs, qu'avez-vous donc en tête ? Avouez ou je rapporte à mon père comment nous avons défié son autorité, quelles qu'en soient les conséquences !

– Soit, voici notre idée, dit Yvain. Nous allons recopier la phrase que tu crois être une formule magique, puis la montrer à messire l'aumônier. Ainsi, tu ne seras responsable de rien en cas d'effet néfaste.

Aliénor baisse les yeux.

– En fait, confesse-t-elle, cette phrase n'est pas en latin... parce que c'est une formule magique ! jette-t-elle comme une accusation.

– Comment le sais-tu ?

– Cela y ressemble ! Fiona, la gitane, m'a appris qu'une suite de sons peut agir sur les choses ensorcelées. Elle m'a également mise en garde : on peut, sans le vouloir, réveiller des forces maléfiques en prononçant une phrase comme celle-là.

– Ah... En ce cas... fait Jean, contrarié.

– Mieux vaut renoncer, conclut Yvain avec un gros soupir.

Aliénor replace la poupée dans son coffret.

– Je garderai cette boîte à malice dans ma chambre, et demain à la première heure nous irons la remettre où nous l'avons trouvée.

Jean et Yvain se regardent. Leurs yeux pétillent de la même pensée. La poupée retrouve une mine réjouie.

■ CHAPITRE 5 ■■■

La formule magique

La nuit venue, Yvain et Jean quittent leur chambre respective sur la pointe des pieds. Ils se retrouvent dans la salle d'armes, devant l'armure de Gonthier de Montcorbier.

– Tu es à l'heure, messire Jean, je te félicite, chuchote Yvain.

– Il nous faut faire vite, Yvain, car ma gouvernante a le sommeil léger.

– Prions le ciel que celui d'Aliénor soit de plomb.

– Les gonds de sa porte grincent, s'inquiète Jean.

– J'ai prévu une fiole d'huile pour arranger ça.

– Et si elle se réveille ?

– Bâillon et cordelette.

– Oh ! Là, je ne marche plus ! proteste Jean.

– Mais non, benêt, je plaisante. Nous trouverons bien moyen de la convaincre. Cessons les bavardages. Je passe devant.

Ne se guidant dans l'obscurité qu'à leur parfaite connaissance des lieux, ils cheminent à travers le bâtiment jusqu'à la chambre de leur compagne de jeu. La fiole d'huile apportée par Yvain est plus efficace à lui graisser les doigts qu'à faire taire les gonds de la porte.

Première tentative d'ouverture... Un

interminable « couiiii ! » déchire le silence. Les garçons grimacent comme si on leur arrachait les poils du nez. Finalement, après avoir poussé le battant par petites étapes, ils se faufilent dans la chambre. Par chance, le coffret convoité se trouve dans un rayon de lune qui filtre entre les lourds rideaux de velours.

Yvain s'en empare tandis que Jean surveille Aliénor à l'oreille. Une respiration régulière indique que tout va bien ; la mignonne dort à poings fermés. Triomphant, les jeunes voleurs quittent la pièce, puis s'enfuient en pouffant de rire. Ils s'enferment dans la chambrette d'Yvain qui loge seul, tout en haut du donjon.

Le page à la chevelure rousse allume une chandelle. Jean, assis sur le lit, ouvre le coffret dans lequel repose le bouffon de chiffon, hilare.

– Je me demande bien ce que ce petit bonhomme peut avoir de si redoutable ? s'interroge-t-il. Mais s'il est vraiment ensorcelé, nous devrions prendre quelques précautions.

– Lesquelles ?

– Tu devrais allumer un feu ; en cas de phénomène étrange, nous y jetterons la poupée.

– La mauvaise idée ! s'exclame Yvain. Si cette chose est l'œuvre du diable, c'est dans l'eau bénite qu'il faudra la plonger.

– Fichtre ! Tu as raison. Allons au bénitier de la chapelle remplir un flacon.

– Cours-y, toi, dit Yvain. Pendant ce temps, je vais examiner le bouffon et étudier le parchemin.

Jean hésite un instant, puis tout à coup se décide.

À son retour, une surprise l'attend... Il fait irruption dans la chambre, à bout de souffle et exhibant fièrement la gourde d'eau bénite.

– C'est bon, j'ai l'eau... Holà, tu en fais une tête, qu'est-il arrivé ? s'inquiète-t-il.

Yvain est recroquevillé à la tête du lit, la mine honteuse autant qu'apeurée.

– En vérité, cela s'est fait très vite et je ne suis pas sûr d'en être l'auteur, bredouille-t-il.

– Mais enfin, de quoi parles-tu ?

Jean remarque le coffret renversé sur le sol, près du lit, ainsi que le parchemin tombé à côté.

– Tu as prononcé la formule magique ? demande-t-il d'une voix sourde.

En guise de réponse, son ami hoche lentement la tête.

– Et que s'est-il passé ?

Un tintement de grelots, près de la fenêtre, le fait tressaillir.

Sur le coffre à vêtements est assis un bouffon de chair et d'os, bras et jambes croisés. Il serre dans une main un bâton orné d'une tête en bois le représentant.

– Bonjourno, bambino ! lance le personnage en adressant au page un petit signe de la main.

Jean tourne un regard à la fois effrayé et réprobateur vers son ami.

– Certes, j'ai prononcé la formule, mais c'est à peine si je l'ai murmurée. Je le jure ! se défend Yvain, la main sur le cœur.

– Es-tu fou…

– Oh ! Oh ! Il n'y a qu'oun fou, ici, c'est moi ! le coupe le bouffon. Et yé garantis qu'il n'y a pas plous fou fou qu'Armando Pantalone !

Jean se réfugie près de son compagnon sur le lit.

– Il fallait m'attendre ! le gronde-t-il en baissant la voix. Comment est-il arrivé ici ?

– Il s'est produit un éclair rouge et jaune, un nuage de fumée et...

– Armando Pantalone est revenou à la

vie, enchaîne le bouffon en sautant sur le lit.

Il s'empare de la main de Jean, puis de celle d'Yvain pour les embrasser :

– Ah, merci ! mille et mille mercis ! Yé souis désormais votre ombre, votre frère, votre confident ou votre serviteur selon votre houmeur. Yé souis votre fou, votre joujou, votre chouchou, votre toutou, votre casse-cou...

– Il suffit ! Couché ! ordonne Yvain.

Le bouffon se redresse, interloqué, mais très vite il retrouve le sourire. Il s'assoit en tailleur au centre de la petite pièce, son bâton de bouffon planté comme un sceptre sur son genou gauche.

– Il n'a pas l'air méchant, mais il ne m'inspire guère confiance, murmure Yvain.

– Qu'est-ce qu'on va en faire ? On s'était juré de rapporter le coffret dans la chambre d'Aliénor avant l'aube. Si elle s'aperçoit que la poupée n'est plus dedans, elle va nous tordre le cou.

– Et songe au déshonneur d'avoir rompu notre serment de loyauté.

– Elle nous dénoncera à monseigneur son père qui nous punira sévèrement…

– Sans doute perdrons-nous notre titre de page…

– Alors nous ne deviendrons jamais écuyers !

– Encore moins chevaliers !

– Oh, Seigneur, qu'avons-nous fait !

Les enfants éclatent en sanglots. Le bouffon se joint à leur détresse en pleurant plus fort que toute une procession funéraire. Des flots de larmes jaillissent de ses yeux. Une flaque se forme autour de lui qui s'étend rapidement sur le carrelage de la chambre. Stupéfaits, les pages observent l'horrifiant phénomène.

– Ma parole, il est en train d'inonder ma chambre ! s'affole Yvain.

– Arrêtez, messire Armando ! Par pitié, cessez ce déluge, ordonne Jean.

Le bouffon se calme aussitôt, se redresse et sourit aux enfants.

– Il faut qu'on s'en débarrasse, déclare Yvain.

Le bouffon se remet à pleurer et à répandre des torrents de larmes.

– Calmez-vous, mon ami ! C'était pour rire.

Il fait signe à Jean de le suivre hors de sa chambre.

– Ce bouffon est une plaie, dit-il après avoir soigneusement refermé la porte.

– Nous aurions dû nous méfier davantage.

– Ou alors nous avons été ensorcelés ! Notre enthousiasme excessif, puis l'idée de voler le coffret dans la chambre d'Aliénor venaient sûrement de ce diablotin. Il faut alerter le seigneur !

– Pas de précipitation, le freine Jean. Je suggère plutôt de réveiller Aliénor. Elle saura sûrement trouver une solution.

– Entendu, mais devons-nous laisser ce diable dans ma chambre ? s'inquiète Yvain.

– Nous le lui ordonnerons. J'ai compris lors de nos premiers échanges qu'il nous serait soumis comme un chien à son maître.

– Alors l'affaire n'est pas si grave.

Un peu rassurés, les pages rentrent dans la chambre où les attend Armando Pantalone, confortablement installé sur le lit.

■■■ CHAPITRE 6 ■

De surprise en surprise

– Oumpossible ! Le bouffon est inséparable dou maître, affirme Armando en agitant son bâton en direction des enfants.

Yvain serre les poings de colère.

– Il en sera ainsi, te dis-je ! Je t'ordonne de ne pas bouger de cette pièce tant que nous en serons absents.

Têtu, Armando fait dire non à la tête

de bois de son bâton. Jean murmure à l'oreille de son compagnon qu'il peut fermer sa chambre à clé et qu'à moins de voler comme une chauve-souris, le petit rebelle sera bien obligé d'y rester. Sans plus discuter, ils l'enferment à double tour, puis se hâtent vers la chambre de la fillette.

Avant de se faufiler à nouveau par la porte d'Aliénor restée entrouverte, ils s'arrêtent quelques secondes pour reprendre leur souffle.

– Il faudra faire doucement afin qu'elle ne hurle pas à l'assassin, chuchote Jean.

– Je me charge du réveil. Toi, tiens-toi prêt à l'empêcher de crier et de se débattre.

Ils se glissent dans la chambre, progressent à pas de loup jusqu'au lit à baldaquin. Un tintement de grelots résonne.

Les intrus se figent. Yvain se prend la tête à deux mains, tandis que Jean sent son cœur se serrer comme une éponge.

– Armando, sors d'ici ! ordonne Yvain aussi bas que possible.

– Nenni, pouisque vous y êtes, répond le bouffon.

Aliénor se retourne dans son lit en marmonnant quelques mots.

– Où te tiens-tu, bandit ? demande Jean.

– Auprès de la princesse, bien soûr. Pouis-je lui chanter oune douce complainte pour fleurir son réveil ?

– Sûrement pas ! Laisse-nous faire ! répond Yvain.

Aliénor se dresse sur son lit :

– Qui va là ? Est-ce toi, Yvain ?

– Heu… Oui, justement j'allais…

– Tu n'es pas seul ?

– En effet, je suis là aussi, annonce Jean.

– Et n'oublions pas Armando Pantalone, pour le meilleur et pour le rire, bien entendou ! annonce à son tour le bouffon à voix basse.

Craignant la réaction de la fillette, les garçons n'attendent pas pour agir. Ils se jettent sur le lit, étouffent de justesse le cri qu'elle s'apprête à pousser, puis l'entraînent hors de la chambre.

Dans le couloir, ils lui demandent de se taire et de les suivre calmement. Armando leur emboîte le pas en sautillant, semant des tintements de grelots dans son sillage.

Durant le trajet jusqu'à la chambre d'Yvain, Aliénor est informée des détails de l'affaire. Elle attend que la porte soit fermée pour laisser éclater sa colère :

– Traîtres ! Marauds ! Vils coquins ! Je ne vous ferai plus jamais confiance…

Les garçons, honteux, essuient l'orage sans répliquer. Armando, assis sur le coffre à linge, fait semblant de regarder ailleurs. Enfin, Aliénor se calme.

– Et comment comptez-vous remettre ce diable dans sa boîte ? demande-t-elle, bras croisés.

Armando tombe à ses genoux :

– Oh, non ! Pitié, damoiselle Aliénor. Yé ne souis pas oun diabolo. Mon créateur était oun enchanteur, le grand enchanteur Melgan. Il a fait de moi oun serviteur du rire et de la bonne houmeur, pas oun diabolo !

– Ce n'est sans doute pas l'avis de ceux qui ont subi tes méfaits, réplique Aliénor.

– Oun malheur, oune fois, s'est produit, mais yé n'y étais pour rien…

– Quel malheur ? relève Jean.

– C'est oun secret ! répond le bouffon d'un ton sans réplique. Yé ne souis qu'oun bouffon, reprend-il, certes avec quelques pouvoirs pour provoquer le rire, mais oun brave bouffon. Yé le prouverai !

Jean soupire puis déclare :

– De toute façon, pour le moment, nous ne savons pas comment transformer à nouveau ce farceur en poupée.

– Que faire alors ? interroge Yvain.

– Le cacher en attendant de trouver une solution, répond Aliénor. Demain, j'étudierai le parchemin de plus près.

– Vas-tu nous dénoncer à ton père ? s'inquiète Jean.

– Je le devrais, mais ma noblesse de cœur m'en empêche. Je retourne me coucher. Vous devriez en faire autant. Quant à vous, messire Pantalone, tenez-vous tranquille où vous aurez affaire à moi.

Le bouffon se couche à ses pieds comme un animal reconnaissant, puis entreprend une série de pirouettes si grotesques qu'il parvient à faire sourire ses jeunes maîtres.

■ CHAPITRE 7 ■■■

Le retour d'Armando

Contrairement à son habitude (et à ses obligations de page du seigneur de Montcorbier), Yvain ne se lève pas avec l'aube. Même le chant du coq ne parvient pas à le tirer du monde des rêves. Jusqu'au moment où…

– Tudieu !

Il s'assoit tout à coup sur sa couche. Se rendant compte de l'heure tardive à cause des rayons de soleil qui filtrent entre les rideaux, il bondit hors du lit. « Mon maître va m'arracher les oreilles s'il est déjà prêt pour la chasse, et que je ne suis pas là pour lui apporter son faucon », s'angoisse-t-il. Il s'habille en vitesse et, pour toute toilette, s'asperge le visage d'un peu d'eau. Au moment de sortir, il se souvient brusquement du bouffon.

– Armando !

Il se retourne. La chambre est vide. Le coffret repose fermé sur une chaise.

– Armando, es-tu là ?

Silence.

Inquiet, Yvain regarde sous le lit, puis derrière une tenture… Il ouvre le coffret.

– Oh !

Le bouffon, redevenu poupée de chiffon, a regagné son écrin de velours.

Yvain en éclate de rire. Le vilain rêve serait-il fini ?

« Au moins serons-nous tranquilles pour un temps », pense-t-il en sortant.

Au détour d'un couloir, il entre en collision avec le sire de Montcorbier.

– Holà ! doucement, Yvain !

– Pardon maître, je… je suis…

Essoufflé et ému, le garçon ne peut en dire davantage.

– Te portes-tu mieux ? demande le seigneur. Aliénor me disait à l'instant que tu te plaignais du ventre hier soir ?

Interloqué, le garçon dévisage le seigneur, puis comprend qu'une fois de plus la fillette lui a sauvé la mise.

– Je souffre encore, ment-il avec un air souffreteux, mais votre service est plus important.

Le seigneur sourit, puis déclare tout en ajustant ses gants de daim :

– Repose-toi un peu, car ce soir je veux te voir en pleine forme. Tu sais qu'il y aura banquet et je tiens à ce que tout soit parfait.

– Bien, messire, dit Yvain en s'inclinant avec respect.

Quand il se redresse, Aliénor se tient devant lui.

– Notre chevalier Flamboyant se sent-il mieux ? demande-t-elle d'une voix doucereuse.

– Mieux que tu ne pourrais le croire, répond Yvain. Figure-toi que notre... « diable » (Il prononce le mot tout bas) a regagné sa boîte.

– Oh ! Comment cela se peut-il ?

– Je ne sais... En tout cas, nous voici soulagés.

– Ce serait trop beau, mais pourquoi pas ? Nous le rendrons de toute façon au souterrain dès que possible. Pour l'heure, il me faut rejoindre ma mère. Nous en reparlerons plus tard. Retrouvons-nous dans ta chambre, cet après-midi à deux heures.

Elle s'éloigne. Yvain réfléchit quelques instants, puis décide de chasser de ses pensées le mystère du bouffon. Malgré la bienveillance de son maître, il sait qu'avec la fête qui se prépare sa journée sera chargée.

Après le déjeuner, les trois amis tiennent conseil dans le donjon. Yvain pose le coffret sur sa table et dit :

– Je regrette que nous devions nous séparer de cet Armando Pantalone. Je n'arrive pas à croire qu'il puisse être maléfique.

– Ce que tu crois importe peu, réplique Aliénor. Seule compte la prudence. Surtout en ce moment où mon père crée des alliances et doit se garder des ambitions de certains de ses barons. Les trois qu'il reçoit aujourd'hui sont les plus coriaces et, d'après ce que j'en sais, leurs gens ne valent pas mieux.

– J'ai croisé tout à l'heure le page du baron de Montour, dit Jean. J'ai cru que ce roquet allait me mordre.

– Vous le voyez, nous aurons d'autres chats à fouetter que ce jouet enchanté, dit la fillette.

– Aliénor est la voix de la sagesse, soupire Yvain en se levant, mais cela rime avec tristesse, ajoute-t-il en s'approchant du coffret.

Aliénor reprend :

– Établissons un plan pour tromper les gardes dans la salle des tombeaux...

Elle est interrompue par un violent éclair rouge et jaune, accompagné d'un « vouf ! » suivi d'un nuage de fumée.

Celle-ci se dissipe rapidement ; apparaît à nouveau la silhouette du bouffon de chair et d'os.

– Bonjourno, bambinos ! Armando Pantalone pour vous servir et vous faire rire !

Consternés, les enfants restent un moment sans voix. Puis Jean s'en prend à Yvain :

– Qu'as-tu fait encore ?

– Sur ma tête, je le jure : rien ! J'ai seulement soulevé le couvercle.

– Mais cela aura suffi à réveiller ce diable ! S'il existe un royaume des nigauds, assurément tu en es le roi.

Vexé, Yvain empoigne son camarade par le col.

– Yé n'étais pas parti ! s'écrie Armando. Allons ! Yé n'ai pas droit au sommeil, comme tout le monde ? Vous m'avez réveillé de nouit, mes nouits sont donc mes jours et mes jours mes nouits.

Le bouffon s'étire en baillant, puis reprend :

– Y'ai ouï dire dans mes rêves qu'on préparait oune fête…

– Cela ne te concerne aucunement ! s'exclame Aliénor, effrayée à l'idée des catastrophes que cet imprévisible diablotin pourrait provoquer.

– Voyons, damoiselle, les bouffons sont de toutes les fêtes !

– Oui, mais celle-ci n'aura pas besoin des folies d'un fou de ton espèce, réplique Jean. Sois gentil et laisse-nous tranquilles, jusqu'à demain au moins. Nous t'en supplions à genoux, car cette fête est d'une grande importance pour notre maître…

– Youstement ! Yé vais la rendre inoubliable !

Les enfants blêmissent. Ils forment un

cercle, en se prenant par les épaules, pour se concerter.

– Il faut absolument le neutraliser, murmure Aliénor.

– Je déconseille le feu et je doute de l'efficacité de l'eau bénite, dit Jean.

– Quant au poignard, je ne m'en sens pas le courage, déclare Yvain.

Après un silence :

– Adoptez-moi, susurre Armando en passant la tête entre Jean et Aliénor.

– Que veux-tu dire ? demande la fillette.

– Eh bien voilà. Depouis mone excecrazione, yé n'ai plous de maître, plous de maison, plous d'amis, plous d'ennemis, plous de vie. Adoptez-moi et vous sauverez mone âme.

– Retourne dans ta boîte et nous verrons ce que nous pourrons faire de toi, répond Aliénor.

– Hélas ! Ma damnation est que yé ne pouis faire autre chose que le fou. Ah, si seulement vous m'adoptiez... ajoute Armando, songeur.

– Il est bien question d'adopter une poupée ! s'agace la fillette. Quant à vous, les garçons, puisque vous êtes responsables de cette situation, à vous de la résoudre !

Jean souffle nerveusement sur sa mèche rebelle puis demande :

– Dis-moi bouffon, vas-tu nous suivre comme un chien jusqu'à la fin du jour ?

– Yé ne pouis faire autrement.

– Ne peux-tu te rendre invisible ou à ce point discret que personne, hormis nous trois, ne s'aperçoive de ta présence ?

– Ma qué... c'est possible. Tout est possible avec Armando, il souffit de demander.

– Alors, nous sommes sauvés...

■ CHAPITRE 8 ■■■

Mauvaises rencontres

Une partie de l'après-midi, la fille du seigneur et les deux pages restent ensemble, apportant aux préparatifs une aide des plus symboliques. Mais l'agitation générale est telle que personne ne prête attention à eux. Perchés sur les créneaux ou dans leur arbre favori près des écuries, ils observent les serviteurs des barons qui vont et viennent comme s'ils étaient chez eux. Ils s'intéressent plus spécialement à trois pages qui se sont acoquinés. Les effrontés leur adressent de temps en temps des sourires moqueurs ou ricanent en les montrant du doigt.

Arrive finalement le moment où les amis doivent se séparer. Une servante vient d'abord chercher Aliénor afin qu'elle rejoigne la dame de Montcorbier, sa mère.

Avant de quitter ses compagnons, elle déclare :

– Je crains que nous n'ayons plus guère le temps de nous côtoyer d'ici ce soir. Veillez bien sur Armando afin qu'il ne commette pas de bêtise.

Puis c'est au tour des garçons d'être appelés aux cuisines pour différents services. Le maître d'intendance, chargé d'organiser l'ensemble des préparatifs de la fête, interpelle le page au cheveux roux :

– Yvain, on réclame du vin pour le baron de Courtile. Prends ce cruchon et file, vite, car l'homme n'aime pas attendre. Toi, Jean, porte ces friandises à la dame de Montour. Elle loge dans la tour sud.

Avant de se séparer les deux pages se concertent, plus exactement se chamaillent pour savoir qui gardera Armando sur lui. Le bouffon, qui peut se transformer à volonté, a en effet pris la taille d'une poupée. Ainsi, tout en restant un être vivant, les garçons peuvent le transporter dissimulé dans une bourse en cuir pendue à leur ceinture.

Si petit soit-il, Armando a conservé toute son exubérance :

– Y'ai oune idée ! s'exclame-t-il d'une voix devenue suraiguë. Trouvez oun couteau et coupez-moi en deux. Ainsi chacun obtiendra oune moitié de moi. (Il éclate de rire. Les enfants haussent les épaules.) Ou alors, que le plous noble d'entre vous offre à l'autre l'honneur de me porter.

Aussitôt les deux garçons reprennent leur dispute, cette fois pour faire accepter à l'autre l'honneur en question. C'est Jean qui, par tirage au sort, l'emporte et donc offre à son camarade l'honneur de garder Armando sur lui.

L'affaire étant réglée, Yvain chargé du cruchon de vin s'éloigne vers la chambre attribuée au baron de Courtile. À quelques pas de la porte, il est arrêté par un page :

– Holà, toi ! Que veux-tu ?

C'est un garçon brun, pâle de visage, avec un petit air narquois assez déplaisant. Il est vêtu de brocart prune, une riche étoffe de soie brodée d'or. Son chapeau à visière pointue est orné d'une jolie plume bleue. Yvain le considère, puis demande :

– Es-tu le page du baron de Courtile ?

– Exact. Et toi un garçon de ferme, je présume ? Donne-moi cette cruche. Je l'apporterai moi-même au baron.

– Comment te nomme-t-on ?

– Arnaud de Campin.

– Hum… cela rime avec coquin. Moi je suis le chevalier Flamboyant…

– Ce qui rime avec manant ; je ne m'étais pas trompé. Allez, donne-moi ça et fiche le camp !

Le page arrache le cruchon des mains d'Yvain, puis pénètre dans la chambre du baron.

– Le chien ! crache Yvain en serrant les poings. Si je ne m'étais pas retenu, je lui brisais la cruche sur la tête.

– Veux-tu rire un bon coup ? demande Armando en émergeant de la bourse de cuir.

– Cela dépend. Qu'as-tu en tête ?

– Écoute.

De l'autre côté de la porte retentit un bruit de cruche brisée suivi d'un cri de colère. Peu après, rouge de honte, Arnaud de Campin surgit dans le couloir et s'enfuit en pleurant. Yvain se moque de bon cœur, puis demande à Armando s'il est l'auteur de ce vilain tour. Le bouffon disparaît dans la bourse… pour rire à son aise. Il a effectivement usé d'un petit sortilège pour faire glisser la cruche des doigts du page.

Sur le perron des cuisines, Yvain retrouve son camarade les yeux rougis de chagrin et se tenant le ventre.

– Parbleu, Jean ! Que t'arrive-t-il ?

– J'ai croisé deux des pages grimaciers

qui ce matin nous montraient du doigt. Ils m'ont rudement fait comprendre qu'ils seraient maîtres chez nous, tant que leur seigneur y logerait.

– J'ai de mon côté essuyé une humiliation de la part d'un certain Arnaud Coquin, mais Armando s'est chargé de laver l'affront.

– Vraiment ?

Yvain relate en quelques mots sa rencontre avec le page du baron de Courtile, puis il déclare :

– Je te promets que nous corrigerons un à un ces trois sots.

– Pour sûr. D'ailleurs, je vais de ce pas à la réserve de bois choisir un solide gourdin, dit Jean pour une fois premier à vouloir en découdre.

– Halte-là, petits maîtres ! s'exclame Armando. Bastonnez ces marauds et chaque coup vous reviendra dans la figure. Non, laissez faire la bouffonnerie.

– Nous sommes des pages, futurs écuyers, futurs chevaliers ! lance Yvain en bombant le torse, il ne manquerait plus qu'un bouffon règle pour nous des dettes d'honneur.

– Les dettes d'honneur se règlent entre gens d'honneur, réplique Armando. Or, ces trois drôles n'en sont pas.

– Que proposes-tu ? demande Jean.

– Le parti d'en rire.

Les pages n'en sauront pas davantage, car le maître d'intendance les rappelle à grands cris. Dans la cuisine où l'on s'active avec fièvre, ils ont la désagréable surprise d'y retrouver les pages des barons. Les garnements se retournent et les accueillent avec des grimaces ridicules.

– Bon. Ouvrez bien vos ouïes, les

ablettes, dit le gros homme, nous allons préparer votre service de ce soir. Toi, tu vas servir la table d'honneur... (Il s'adresse à un blond au nez en trompette. Il s'appelle Robert et sert le seigneur de Bonnefoi) avec Jean, précise-t-il (lequel plisse le nez de déplaisir). Yvain et vous deux, vous vous occuperez des autres tables...

Les garçons s'adressent des sourires crispés. Après avoir précisé les missions de chacun, l'intendant ordonne :

– D'ici là, courez au puits et remplissez-moi les deux tonneaux des écuries. Allez, ouste ! Vous reviendrez me voir après.

Les cinq enfants s'inclinent respectueusement, puis quittent la cuisine en hâte. Au moment de franchir la porte, les pages des barons bousculent Yvain et Jean.

– Arrière, avortons ! lance Arnaud de Campin. On s'efface devant la noblesse.

Écartant Jean d'un doigt méprisant sur la poitrine, il franchit le seuil. Yvain tente un croche-pied, mais le blond le tire par le col et lui dit :

– Du calme, morpion, on laisse d'abord passer ses maîtres.

– Un nez en groin de porc, ça te dirait avant le dîner ? grommelle Yvain en l'attrapant par un bras.

La confrontation est sur le point de tourner à la bagarre, quand les hurlements de l'intendant les contraignent à remettre l'exercice à plus tard. Ils sortent tout de même en jouant des coudes et en grognant. Les hostilités reprennent devant le puits.

– Va-t-on se fatiguer à remplir ces tonneaux ? demande le page du baron de

Montour, un maigrelet nommé Godefroy.

– Ce ne sera pas nécessaire, nous avons nos deux valets, répond Robert. Mais je suggère de les surveiller, car ils me paraissent fort indociles.

– Peut-être devrions-nous les rosser avant de les mettre au travail ? s'interroge Arnaud de Campin.

Yvain et Jean fulminent. Il leur paraît difficile, malgré les avertissements d'Armando, de ne pas nettoyer l'affront à grandes eaux… et à grandes claques. Le bouffon émerge alors de la bourse d'Yvain. L'apercevant, Jean s'alarme : « Le fol, se dit-il, il va se faire repérer. » Il tente de le cacher en se plaçant devant Yvain. Celui-ci, découvrant à son tour l'imprudent bouffon, tente de l'obliger à retourner dans la poche de cuir. Mais Armando résiste et couine. À croire qu'il souhaite être aperçu par les trois garnements... ce qui ne tarde pas à arriver.

– Oh ! Que vois-je ? s'exclame Robert. Un bouffon !

– Comme c'est mignon ! Nos petiots jouent encore à la poupée, se moque Arnaud.

Il s'empare avec brutalité du fou qui se laisse saisir comme s'il n'était que chiffon rempli de son.

– Mordieu ! Vas-tu me rendre cela ! s'écrie Yvain.

Il se jette sur le voleur. Jean vient aussitôt à sa rescousse, mais Armando a déjà changé de main. Le blond l'exhibe en chantant :

– Il est là ! Coucou ! M'attraperez-vous ?

Avant que les deux pages ne fondent sur lui, il lance le bouffon au troisième larron, lequel le renvoie au premier qui

saute pour l'intercepter. Ce jeu de la patate chaude s'arrête là.

– Fichtre ! Que m'arrive-t-il ? s'écrie Arnaud en grimaçant.

Son bras droit est paralysé en position verticale. Il tente vainement de l'abaisser avec sa main gauche. Yvain et Jean, effarés, regardent Armando se tordre de rire entre les doigts de son ravisseur.

– Eh bien, Arnaud, qu'y a-t-il ? s'inquiète Robert.

– Je ne sais. J'ai le bras raide comme un bout de bois.

Les deux autres garçons croient que leur compagnon joue la comédie. Aussi se mettent-ils à danser autour de lui, en chantant et en se bousculant, sous le regard moqueur de Jean et d'Yvain. Godefroy s'esclaffe de toutes ses forces en se tenant les côtes. Alors se produit une chose inattendue : son rire cesse d'un coup. De sa gorge sort un curieux gargouillis :

– Argueu ! Gueueueu… coinché !

Le pauvre garçon reste bouche ouverte, la mâchoire bloquée. Le blond vient lui prêter main-forte.

– Han ! Aaa ! A fé al ! proteste la victime en le repoussant.

– On peut vous aider ? demande Yvain, faussement aimable. Un bon coup sous le menton…

– Tais-toi, vermine ! crache le blond. Occupe-toi de tes chausses. Fiche le camp !

Le page tente de lui envoyer son pied aux fesses, mais sa jambe se paralyse d'un coup.

– Ah ! Sortilège ! Me voici coincé à mon tour !

Yvain et Jean s'assoient sur la margelle du puits et se laissent aller aux plus plaisantes moqueries. Les pages des barons s'éloignent, l'un le bras en l'air, l'autre la mâchoire coincée, le troisième tenant sa jambe raidie. Le premier lâche Armando qui chute lentement, bras écartés, léger comme une plume.

■ CHAPITRE 9 ■■■

Sus à Armando !

Après une belle crise de rire, Aliénor félicite Armando sur sa méthode, efficace et sans danger, pour éviter les bagarres entre pages.

– Merci, damoiselle, yé n'ai fait que tourner l'affaire en dérision, répond le bouffon en exécutant une révérence. Pouisse cela adoucir les mœurs de ces trousse-pet, ajoute-t-il en agitant son bâton.

Les trois enfants et Armando, qui a repris taille humaine, se réunissent dans la chambre d'Yvain. Mais ils devront vite retourner à leurs obligations respectives, car le banquet va commencer sans tarder.

– Au fait, j'ai questionné ma mère à propos de mon grand-père, Gonthier de Montcorbier, dit Aliénor. Elle m'a révélé qu'à cause de sa passion pour la magie et les choses étranges, il avait eu des ennuis avec l'évêque de Clermont. C'est pourquoi il fit creuser sous le château un laboratoire secret pour ses recherches et celles de son alchimiste. La mort de mon grand-père, lors d'une bataille pour le roi de France, permit à l'évêque de faire intervenir une troupe. Elle investit le château, trouva la forge et emmura l'alchimiste.

– Alors, cela signifie qu'Armando n'est pour rien dans les malheurs de l'alchimiste ! l'interrompt Jean.

– Bien soûr que non ! Croyez-vous toujours que yé sois oune engeance diabolique ? s'exclame le bouffon.

– Quelle est cette malédiction te concernant ? demande Yvain.

– Oumpossible d'en parler. Cela me rend triste et oun fou est interdit de tristesse.

– Tu peux avoir confiance en nous...

Vlouf !

Dans un éclair rouge et jaune et un nuage de fumée, le bouffon redevient poupée.

– Par Dieu, qu'ai-je dit ? s'angoisse Yvain.

– Une sottise, comme d'habitude, répond Jean.

Aliénor ramasse la poupée qui gît bras en croix sur le sol.

– Je le prends avec moi.

– Il faut absolument qu'on sache la cause de sa malédiction, dit Yvain. Armando ! Reviens !

– Il n'est plus temps de résoudre cette énigme, déclare Jean. J'entends déjà

maître Fougasse hurler que nous sommes en retard. On en reparlera après le banquet…

Comme toujours à Montcorbier, le banquet débute par un retentissant concert de trompettes. L'orchestre se tient sur une tribune dominant l'immense salle de réception du château. Au

fond, placée sur une estrade, la table d'honneur est occupée par le seigneur, sa dame et sa fille, les trois barons invités ainsi que leurs épouses. Une trentaine d'autres convives a pris place derrière deux longues tables formant un U avec la première.

Sous les exclamations admiratives pénètre la procession des serviteurs portant les plats du premier service : oies rôties, potages, anguilles farcies… Avant d'être déposés sur les tables, les plats sont offerts aux regards brillant d'appétit des invités. Pendant ce temps, les pages s'activent à servir les boissons et à répondre aux moindres sollicitations. Des jongleurs entrent dans la salle. Aliénor est bien trop inquiète pour s'intéresser à leur spectacle. Elle observe ses amis qui circulent derrière les convives. Les pages des barons ont retrouvé l'usage de leur corps, mais ils semblent ne rien avoir perdu de leur méchanceté. Chaque fois qu'ils croisent Jean ou Yvain, ils leur lancent un regard mauvais, un mot déplaisant ou leur décochent un coup en douce.

Cependant, aucun incident d'importance ne vient troubler la fête, jusqu'au moment où…

– Dieu tout-puissant, Armando ! lâche Aliénor en portant la main à sa robe.

– Que dis-tu, ma fille ? demande sa mère assise à sa gauche.

– Euh, rien d'important, mère. Je… je pensais à quelque chose, à quelqu'un que vous ne connaissez pas…

« Pas encore », ajoute-t-elle en pensée. Le bouffon a quitté la poche de velours dans laquelle elle l'avait enfermé. Où peut-il bien être ? Un bruit de grelots la fait tressaillir. Le farceur est sous la table ! La fillette laisse échapper volontairement un couteau. Le ramassant, elle passe la tête sous la nappe.

– Armando ! Que fais-tu là ? chuchote-t-elle fort en colère.

Le bouffon à taille humaine est assis en tailleur devant les jambes du seigneur de Montcorbier.

– Le fou, damoiselle. C'est plous fort que moi, quand il y a fête, yé dois en être.

– Vas-tu sortir… enfin, je veux dire vas-tu rentrer dans cette poche ! Personne ne doit te voir.

– Et pourquoi ? Yé suis oun bouffon, pas oun monstre, et il me faut oun maître à distraire.

– Ne discute pas. Viens !

Armando fait répondre non à la figurine de son bâton, puis s'éloigne à quatre pattes en prenant garde de ne pas bousculer les pieds des convives. Affolée, Aliénor refait surface, cherche ses amis du regard. Yvain est le plus proche, mais avant qu'elle puisse lui adresser un signe, la dame de Montour pousse un petit cri. Son époux soulève la nappe et tire le bouffon par la peau du dos.

– Holà ! En voilà une pêche miraculeuse ! Que fais-tu donc là-dessous, bonhomme ?

– Je cueillais des pâquerettes, messire baron.

– Tiens donc ! Avoue plutôt que tu regardais sous les jupes des dames, polisson !

Le baron éclate de rire, puis se tournant vers son hôte debout de surprise, il déclare :

– J'ignorais, monseigneur, qu'un fou était à votre service.

– Je l'ignorais aussi, répond le seigneur de Montcorbier d'une voix sourde.

– Moi de même, renchérit Armando. Mais cela peut s'arranger si notre bon maître me fait l'honneur de m'adopter.

Malgré son jeune âge, Aliénor doit parler :

– En vérité, mon père, ce bouffon est à mon service… depuis peu il est vrai. Je voulais vous en faire la surprise ; voilà qui est fait. J'espère que cette initiative ne vous fâche pas ?

Pour toute réponse le seigneur fronce ses épais sourcils, ce qui n'est pas bon signe. La dame de Montcorbier juge urgent d'intervenir :

– Quelle riche idée, ma fille ! Un fou dans notre maison, et pourquoi pas ? Comment t'appelles-tu, cher fou ?

– Armando Pantalone, madame, pour vous servir et vous faire rire.

La dame pâlit, son mari ouvre de grands yeux effarés, Aliénor ferme les siens comme si venait de claquer un coup de tonnerre, Yvain et Jean se figent d'épouvante, quant aux invités, ils observent la scène sans comprendre.

Soudain, l'orage éclate.

– ARMANDO PANTALONE ! hurle le seigneur. Mais te rends-tu compte, jeune écervelée ?

– Cela vaut-il une telle colère ? demande le baron de Montour qui prend parti pour Aliénor.

– C'est une affaire de famille, messire, mais elle va se régler sans coup férir. Emparez-vous de ce coquin à grelots ! Qu'on le jette dans l'oubliette la plus profonde de mon château.

Les premiers à réagir sont les pages des trois barons. Se voyant cerné, Armando saute sur la table d'honneur. Il échappe ainsi de peu aux mains de Robert qui a tenté de le plaquer aux jambes.

Le bouffon galope parmi les assiettes et les gobelets en poussant de petits cris de singe, ce qui provoque l'hilarité générale. On croit apparemment à un spectacle surprise.

Des applaudissements retentissent lorsque Armando parvient à se débarrasser d'un de ses poursuivants en sautant au cou d'un volumineux personnage. Yvain et Jean se lancent dans la poursuite, mais pour faire obstacle aux pages des barons : une anguille vole et s'écrase sur la figure d'Arnaud de Campin, des cruchons font trébucher Robert, les balles et les massues des jongleurs servent à bombarder Godefroy. Une incroyable confusion s'ensuit. Le bouffon s'en donne à cœur joie ; le seigneur, hors de lui, dégaine son épée et ordonne qu'on extermine le trouble-fête.

Finalement, les trois pages parviennent à se saisir du bouffon... à moins que celui-ci ne se soit laissé attraper. Pris d'un épouvantable fou rire, il s'était arrêté sur les genoux d'un convive pour reprendre son souffle.

– Qu'en fait-on, monseigneur ? demande Robert, rouge comme un cochon de lait rôti.

– Aux oubliettes ! répond le seigneur.

Puis il appelle le capitaine de sa garde et ordonne :

– Guidez ces valeureux jeunots et récompensez-les comme il se doit.

■■■ CHAPITRE 10 ■

Accident de chasse

Tandis que la fête reprend, le seigneur et sa dame s'excusent auprès de leurs hôtes de devoir quitter la table un moment. Aliénor doit suivre… et subir un interrogatoire serré :

– Où l'as-tu déniché, ce Pantalone ? Sais-tu qui est ce diable ? Pourquoi ne pas m'avoir averti… ? la harcèle son père.

Les questions fusent, mais la fillette n'a pas assez de souffle pour répondre et pleurer à la fois.

Sa mère accomplit de louables efforts pour calmer son mari. Finalement, hoquetant et reniflant, Aliénor relate les circonstances de la découverte d'Armando, sans toutefois s'étendre sur les détails.

– Il n'est… est… pas mé… mé… méchant. Il veut… eut juste qu'on l'a… l'a… l'adopte, termine Aliénor.

– Adopter un démon ! Il faudrait être fou. Ton grand-père Gonthier, qui l'avait repêché en mer à son retour de croisade, l'eût sans doute fait si la mort ne l'avait emporté prématurément. Alors notre dynastie eût été maudite, car ce bouffon est frappé de malédiction. C'est pourquoi j'avais interdit qu'on descende dans l'antre de ce sorcier…

– Alchimiste. C'était un… un… alchimiste, rectifie Aliénor.

– C'est ce que je dis ! Et maintenant qu'allons-nous devenir ?

– Il suffit, mon mari ! s'agace brusquement la dame de Montcorbier. Ce n'est pas encore l'Apocalypse. Aussi vous demanderai-je de vous reprendre et de retourner avec moi auprès de nos hôtes. Nous réglerons cette affaire dans le calme et le secret, car il n'est pas question qu'on sache à l'extérieur ce qu'il en est de cette histoire. Et toi, Aliénor, sèche tes larmes et conduis-toi en damoiselle de bonne noblesse…

Le seigneur pousse un dernier grognement, pour la forme, puis consent à regagner sa place en s'efforçant de faire bonne figure. Mais il va bientôt perdre à nouveau le sourire.

Les trois pages sont de retour, atteints

d'une curieuse affection : une crise de rire aiguë, totalement incontrôlable. Le phénomène ne s'interrompt que le temps de rapporter la chute du capitaine dans l'oubliette... à la place du bouffon.

Plus tard dans la soirée, Aliénor retrouve Yvain et Jean dans la cour du château.

– Je ne puis rester, ma mère m'attend, dit la fillette. Avez-vous des nouvelles d'Armando ?

Les garçons échangent un regard... et un clin d'œil.

– Non, répond Yvain d'un air faussement innocent. Et toi, Jean ?

– Absolument aucune !

Aliénor comprend qu'ils ont retrouvé et caché Armando. Rassurée, elle soupire et dit :

– Veillez bien sur lui, et qu'il ne reparaisse pas avant... au moins dix ans ! Nous aurons peut-être alors assez d'autorité pour étudier sa demande d'adoption.

Après de longues tractations, Armando accepte de rester poupée et caché, non pas dix ans, mais dix jours. « Pas oun de plous ! » jure-t-il. Car « yé n'en pouis plous d'être oun chiffonne. Yé préfère partir en foumée sur le boûcher qu'être damné plous longtemps dans oun coffret pouant. »

Au soir du neuvième jour, les enfants décident en grand conseil qu'avant l'échéance fatale, ils parleront au seigneur de Montcorbier. Alliant les arguments, les suppliques et toutes les larmes de leur corps, ils sont certains de faire fondre le cœur d'acier du redoutable guerrier.

– Avec en plus quelques prières et une dizaine de cierges, l'affaire est dans le sac, assure Yvain.

Hélas ! le sort s'acharne sur le bouffon : le maître annonce au matin du dixième jour qu'il part pour une grande chasse. Famille, chevaliers et pages devront suivre, car une journée exceptionnelle s'annonce :

– Mes pisteurs ont repéré un sanglier comme on n'en a pas vu d'aussi gros depuis cent ans, annonce le seigneur avec enthousiasme.

La chose est risquée, mais ils n'ont pas le choix : les enfants parleront au maître durant cette chasse, à la fin de préférence. Pour que celle-ci apporte au seigneur toute satisfaction, et donc le mette de bonne humeur, ils portent vingt cierges supplémentaires à la chapelle. L'aumônier reste tout étourdi devant

cette éblouissante poussée de ferveur. La chasse bat son plein. Yvain et Jean sont avec la meute, tandis qu'Aliénor partage avec sa mère l'une des litières qui suivent les hommes. Après plusieurs heures de traque, il semble que la fin soit proche. La bête, que personne encore n'a franchement vue, serait réfugiée dans les taillis au creux d'un vallon. On ras-

semble les litières des dames dans un pré et l'on prépare un pique-nique digne d'une horde d'ogres affamés.

D'un bout à l'autre du site résonnent le cor, les aboiements des chiens, les cris des piqueurs et des chevaliers. Le seigneur, en fin chasseur, croit savoir où affronter la bête. Quittant ses compagnons, il disparaît à cheval dans la forêt.

De son côté, Aliénor vit un triste moment. Elle découvre la nouvelle évasion d'Armando qu'elle avait fait suivre dans son coffret, caché sous des cousins.

– Cette fois tout est perdu, murmure-t-elle désemparée.

Le seigneur de Montcorbier avait vu juste. Dans une clairière, il se retrouve face à face avec le sanglier. L'animal, épuisé, acculé à une paroi rocheuse, fixe le chasseur en grognant. C'est un mâle énorme, armé de défenses capables d'éventrer un cheval. Le chasseur lève sa lance. Il prend son temps pour être sûr que sa charge sera victorieuse.

De colère, le sanglier projette avec son groin des mottes de terre vers son ennemi. Le seigneur talonne sa monture. Celle-ci, sans doute effrayée par le monstre, bronche, bute contre une souche et s'abat lourdement sur le flanc.

Une jambe coincée sous son cheval, le seigneur de Montcorbier est à la merci du sanglier. Leurs regards se croisent, et tout à coup la bête charge. Le seigneur croit voir accourir sa mort, quand une silhouette humaine vêtue de rouge et de jaune s'interpose. D'un coup de tête, le sanglier projette l'obstacle sur le côté puis s'acharne sur lui, le lardant de coups de défense.

Finalement il s'enfuit, laissant sur place une poupée de chiffon et un chasseur stupéfait.

ÉPILOGUE

Dans la forêt, près des litières, Aliénor et les deux pages sont en larmes. Le seigneur de Montcorbier vient de leur rendre la dépouille d'Armando Pantalone. La poupée est éventrée, son visage de bois est pâle et ses yeux ne sont plus que deux pauvres X.

– Il a perdu beaucoup de son, dit le seigneur, mais une habile couturière saura le remettre en état…

– Sans doute, mon père, dit Aliénor, mais Armando avait juré qu'il ne resterait pas poupée. Je crains qu'il n'ait donné sa vie pour sauver la vôtre…

– Et pour vous prouver qu'il n'était pas un démon, ajoute Yvain.

– Et pour que vous puissiez l'adopter sans crainte, précise Jean.

– Certes, soupire le seigneur, je l'eusse volontiers adopté si cela avait pu lui rendre la vie que je lui dois. Cependant…

À ces paroles, les yeux de la poupée s'animent.

– Par Dieu, qu'est-ce là ? s'effraie le seigneur.

– Oh ! Armando revient à la vie ! s'exclame Aliénor.

Une toute petite voix se fait entendre :

– Bonjourno, bambinos !

– Armando, le sire de Montcorbier

veut bien t'adopter, lui annonce Yvain.

– Et nous aussi bien sûr, ajoute Jean.

Le seigneur fronce les sourcils :

– Je n'ai pas juré…

– Est-il vrai, monseigneur, que vous me voulez pour bouffon ? demande Armando. Vous seriez mon nouveau maître ?

– Mais oui ! N'est-ce pas, père ? s'exclame Aliénor.

– N'hésitez pas, monseigneur, ce fou mérite bien cet honneur, intervient la dame de Montcorbier.

– Allons, je n'ai qu'une parole ! J'adopterai ce bouffon, à la condition qu'il nous éclaire sur sa malédiction, dit le seigneur.

Les enfants poussent des cris de joie.

Tel un grand blessé, la poupée Armando est ramenée d'urgence au château de Montcorbier. Après une transfusion de son et une délicate opération de couture, il peut retrouver sa forme humaine et enfin dissiper le mystère de son existence.

– Mon malheur est venou de ce qu'oun enfant-roi fit une choute mortelle alors que nous jouions sour des remparts, explique-t-il. Le chagrin de son père se tourna en rage contre ma pauvre personne. Il ordonna à l'enchanteur qui m'avait créé de me pounir en me changeant en poupée de son. Melgan, car c'est de loui qu'il s'agit, fit ce qu'on loui commandait, mais en secret il accompagna la malédiction d'oune conditione : le jour où yé trouverais oun noble seigneur qui accepterait de m'adopter, c'est-à-dire de prononcer à l'envers la formoule magique dou parchemin, yé serais délivré dou sortilège. Ce jour faillit arriver avec feu votre père. Hélas ! il n'en out pas le loisir. Ensouite comme vous le savez, on emmoura son alchimiste et moi avec. Voilà toute l'histoire d'Armando Pantalone…

Quelques semaines plus tard, le seigneur et ses proches se rendent à un tournoi. Parmi les participants, on compte de nombreux nobles dont les trois barons qui eurent les honneurs d'un banquet en son château. Au détour d'une tente, Aliénor, Yvain et Jean tombent nez à nez avec… trois pages de figure connue.

– Vous ? s'écrie Arnaud de Campin.

– Nous ! répond Yvain.

– Comptez vos abattis, nous allons les soumettre à rude épreuve, lance Godefroy.

Soudain, un bouffon s'interpose entre les adversaires.

– Bonjourno, bambinos ! Armando Pantalone, pour le meilleur et pour le rire !

Les pages des barons s'enfuient en hurlant… de peur, tandis que les chevaliers en herbe et leur princesse éclatent… de rire.

FIN

■ TABLE DES MATIÈRES ■■■

Arthur Ténor est né en 1959 en Auvergne. Il est formateur et il écrit également des livres pour enfants. Il affectionne les récits historiques, fantastiques et d'aventures, qui lui permettent de jouer avec son imagination et de replonger dans le monde magique de l'enfance. Arthur Ténor aime se définir comme « un explorateur de l'imaginaire ».

Claude et **Denise Millet** ont fait leurs études aux Arts décoratifs de Paris. C'est là qu'ils se sont rencontrés et qu'a commencé leur collaboration. Depuis, ils ont illustré de nombreux livres pour enfants. Ils remplissent souvent leurs carnets de croquis pris sur le vif. Ils aiment particulièrement les histoires pleines d'humour et de tendresse.

CONTES CLASSIQUES
ET MODERNES

La petite fille
aux allumettes, 183

Le rossignol
de l'empereur de Chine, 179
de Hans Christian Andersen
illustrés par Georges Lemoine

Les trois petits cochons
et autres contes, 299
Anonyme,
adapté et illustré
par Charlotte Voake

Danse, danse ! 324
de Quentin Blake

Le cavalier Tempête, 420
de Kevin Crossley-Holland
illustré par Alan Marks

Le visiteur de Noël, 372
de Toby Forward
illustré par Ruth Brown

Prune et Fleur de Houx, 220
de Rumer Godden
illustré par Barbara Cooney

Le géant de fer, 295
de Ted Hughes
illustré par Jean Torton

Une marmite pleine d'or, 279
de Dick King-Smith
illustré par William Geldart

Histoires comme ça, 316
de Rudyard Kipling
illustré par Etienne Delessert

Fables, 311
de Jean de La Fontaine
illustré par Roland
et Claudine Sabatier

Le singe et le crocodile, 402
de Jeanne M. Lee

La Belle et la Bête, 188
de Mme Leprince de Beaumont
illustré par Willi Glasauer

La baignoire du géant, 321
de Margaret Mahy
illustré par Alice Dumas

L'enlèvement de la
bibliothécaire, 189
de Margaret Mahy
illustré par Quentin Blake

Mystère, 217
de Marie-Aude Murail
illustré par Serge Bloch

Ça ne fait rien ! 340
de Sylvia Plath
illustré par R. S. Berner

Contes pour enfants
pas sages, 181
de Jacques Prévert
illustré par Elsa Henriquez

L'abominable comte
Karlstein, 399
de Philip Pullman
illustré par Patrice Aggs

Jack Le vengeur, 403
de Philip Pullman
illustré par David Mostyn

La magie de Lila, 385
de Philip Pullman
illustré par S. Saelig Gallagher

L'oiseau d'or, 379
de Berlie Doherty
illustré par John Lawrence

Je ne sais pas quoi écrire, 358
d'Anne Fine
illustré par Kate Aldous

Le poney dans la neige, 175
de Jane Gardam
illustré par William Geldart

Danger gros mots, 319
de Claude Gutman
illustré par Pef

Mon chien, 364
de Gene Kemp
illustré par Paul Howard

Longue vie aux dodos, 230
de Dick King-Smith
illustré par David Parkins

Mon petit frère est un génie, 338
de Dick King-Smith
illustré par Judy Brown

Sarah la pas belle, 223

Sarah la pas belle se marie, 354

Le journal de Caleb, 441
de Patricia MacLachlan
illustrés par Quentin Blake

Oukélé la télé ? 190
de Susie Morgenstern
illustré par Pef

Le lion blanc, 356
de Michael Morpurgo
illustré par Jean-Michel Payet

L'ours qui ne voulait pas danser, 399
de Michael Morpurgo
illustré par Raphaëlle Vermeil

Le secret de grand-père, 414

Toro ! Toro ! 422
de Michael Morpurgo
illustrés par Michael Foreman

Réponses bêtes à des questions idiotes, 312

Tétine Ier, 388
de Pef

Nous deux, rue Bleue, 427
de Gérard Pussey
illustré par Philippe Dumas

Le petit humain, 193
d'Alain Serres
illustré par Anne Tonnac

L'ogron, 218
d'Alain Serres
illustré par Véronique Deiss

Petit Bloï, 432
de Vincent de Swarte
illustré par Christine Davenier

La chouette qui avait peur du noir, 288
de Jill Tomlinson
illustré par Céline Bour-Chollet

Les poules, 294
de John Yeoman
illustré par Quentin Blake

Lulu Bouche-Cousue, 425

Ma chère momie, 419

Le site des soucis, 440
de Jacqueline Wilson
illustrés par Nick Sharratt